이런 나라서

박서현 지음

이런 나라서

발   행 | 2023년 12월 20일
저   자 | 박서현
펴낸이 | 한건희
펴낸곳 | 주식회사 부크크
출판사등록 | 2014.07.15.(제2014-16호)
주   소 | 서울특별시 금천구 가산디지털1로 119 SK트윈타워 A동 305호
전   화 | 1670-8316
이메일 | info@bookk.co.kr

ISBN | 979-11-410-6142-5

www.bookk.co.kr

이런 나라서

CONTENT

머 리 말

저는 처음 이 책을 쓰기 시작하면서 이 부분을 어떻게 구성해야 하나에 대한 고민이 많았습니다. 여러 책들을 보면 작가님들이 정말 멋진 말들을 많이 적어두시고, 책 소개도 정말 멋있게 하시던데, 저는 그렇게 써 내려갈 자신이 없었습니다. 그래서 그냥 제가 담고 싶은 내용들을 하나씩 얘기해 보려고 합니다.

저는 이 책에 저의 꿈을 가장 중심 주제로 삼아서 담아두었습니다. 그리고 그 속에서 저의 삶도 녹아들어 있고, 저의 가치관, 취미 등의 다양한 것들도 담아두었습니다.

저는 이 책을 읽는 사람들이 저의 이야기에 공감하고, 한편으로는 위로도 받았으면 좋겠다는 마음을 가지고 이 책을 쓰게 되었습니다.

부디 저의 이런 마음이 이 책을 읽는 여러분들에게 잘 전달되길 바랍니다.

CHAPTER 1

CHAPTER 1은 저의 꿈에 대한 이야기를 다룬 부분으로,
총 5화로 이루어져 있습니다.
각 화는 '꿈의 변화', '건축가라는 꿈의 구체화',
'건축가를 위한 계단', '본보기를 삼다.'라는
제목으로 이루어져 있습니다.

제 1화 꿈의 변화

　누구에게나 꿈은 있습니다. 어렸을 때에는 꿈이 있었지만 현재에는 꿈이 없어서 그 꿈을 찾고 있는 사람도 있고, 이미 꿈을 찾아서 그 꿈을 이루기 위해 찾아보고, 알아가고, 그 꿈을 위해 노력하는 사람들도 있습니다.

　저는 꿈을 지니고 그 꿈에 다가가기 위해 노력하고 있지만, 저 또한 꿈이 없어서 찾고, 방황하기도 하고, 열심히 꿈을 찾기 위해 노력했던 때가 있었습니다. 그래서 저는 지금부터 그 과정들을 포함한 저의 꿈에 대한 것들에 대해 얘기해 보고자 합니다.

저는 어린이집과 유치원을 다니던 그때, 그 어린 시절부터 그림을 좋아했습니다. 혼자 종이에 그리면서 낙서하고, 만들어 내는 것도 좋아했고, 유치원과 다른 곳에서 관련된 활동을 하는 것도 좋아했습니다. 그래서 당시의 저의 꿈은 '화가'였습니다. 그냥 단순하게 그림을 그리는 게 너무 멋있어 보였고, 그 자체가 너무 좋았습니다. 그렇게 화가라는 꿈을 조금씩 키워가던 어느 날, 주변의 어른분들께서 커서 뭐가 되고 싶으냐고 물으셨습니다. 저는 당연하게 화가라고 했습니다. 저는 그때 그분 중 한 분이 하셨던 말씀이 아직도 어렴풋이 기억이 납니다.

'화가는 돈을 많이 못 버니 다른 거 하는 게 어떠니?'

물론, 시간이 많이 지나서 정확하지 않을 수도 있습니다. 하지만, 분명 이런 느낌의 말씀이셨습니다. 저는 그 말에 적지 않은 충격을 받게 되었습니다.

그러던 와중 저는 점차 화가라는 직업에 대한 흥미를 점점 잃게 되었습니다. 그렇게 서서히 그 꿈을 접게 되었습니다. 물론, 그 이유 중에 어른의 말이니 들어야 한다.라는 것도 꽤 컸던 것 같습니다. 그렇게 화가라는 꿈을 접었지만 미술에 대한 거의 애정과 애착, 미술을 하면서 느끼는 즐거움 등은 사라지지 않았습니다. 저는 미술을 정말 좋아했는데요. 저는 유치원을 졸업하고 초등학생이 되어서도 미술을 배우며 풍경화도 그려보고, 소묘나, 크로키도 해보고, 자유

화와 포스터 등도 그려보게 되었습니다.

그렇게 저는 화가라는 꿈을 접고 한동안 꿈이 없는 상태로 지냈습니다. 그런데 정말 한순간에 관심이 가는 직업이 생기게 되었습니다. 어느 날엔가 버스를 타게 되었는데 그 날따라 유독 버스기사님이 멋있어 보였습니다. 단순히 운전만 하는 것이 멋있었던 것이 아니라 그 큰 차를 운전하면서 다른 사람들에게 친절하고 따뜻하게 대해주셨던 모습이 멋있었습니다. 그렇게 저는 버스 운전기사라는 직업에 조금씩 관심이 가기 시작했습니다. 그리고 당시 저는 여성 버스 운전기사는 주변에서 쉽게 보지 못했었기 때문에 더 해보고 싶다는 생각도 했습니다. 하지만 이 꿈은 얼마 가지 않아서 끝나버렸습니다. 무언가 특별한 계기가 있어서 끝난 것이 아니라, 버스 운전기사라는 직업에 대한 흥미도 조금씩 줄어들고 있었고, 깊게 알아보니 몸이 힘들고 돈을 잘 못 버는 직업이라는 것을 알게 되었기 때문입니다. 또, 그렇게 한동안 꿈이 없는 시간을 보내게 되었습니다.

여기까지만 본다면 꿈을 접은 이유들의 많은 부분이 돈과 관련되어서 제가 계속 돈 때문에 꿈을 포기한 것 같아 보입니다. 하지만 그렇지 않습니다. 물론, 그게 이유 속에 포함되어 있지 않은 것은 아닙니다. 그렇지만, 그전에 이미 흥미가 떨어지고 있었고, 그 상태에서 서서히 접게 된 것이었습니다. 그리고 이게 두 번이나 겹치게 된 것이고요.

저는 시간이 흘러서 또다시 새로운 꿈을 꿈꾸게 되었습니다. 당시 학교에서 매일 보는 선생님들이 너무 멋있어 보였습니다. 저는 학교생활을 하면서 담임 선생님을 포함한 많은 선생님들을 보게 되었고, 그분들을 보면서 존경하는 마음과 함께, 학교 선생님이 되고 싶다는 꿈을 키우게 되었습니다. 그렇게 학교 선생님이라는 꿈을 가지고 기대하면서 하루하루를 살게 되었습니다.

사실 저는 어렸을 때부터 낯도 많이 가리고, 친화력도 없었습니다. 그리고 쉽게 다른 사람들에게 다가가지도 못하는 성격이었기 때문에 친구들과의 관계도 마냥 좋지 못했습니다. 친구 관계에 대한 고민과 걱정도 많았고요. 그러던 저는 정말 비상구 같은 담임 선생님을 만나게 되었습니다. 때는 초등학교 5학년이었고, 당시 저는 12년 인생 중 친구 관계 때문에 가장 힘들었던 시기였습니다. 정말 매일이 너무 힘들었던 시기였는데 그때 선생님이 저에게 해주셨던 말이 정말 큰 도움이 되었습니다. 물론, 지금 정확히는 기억이 나지 않지만 당시 그 선생님의 말씀 덕분에 그 이후로 저는 스스로 조금씩 변화하기 시작했고, 조금씩 나아지는 저를 보게 되었습니다.

이런 상황들을 겪다 보니 학생들에게 진심으로 마음을 다해 대해주시는, 해결책과 도움을 주시는 선생님들이 더 존경스럽게 다가왔습니다. 그리고 저도 '이런 선생님이 되어서 많은 아이들에게 도움이 되고 싶다.'라는 생각을 가지게 되었습니다. 그 당시 저는 이 꿈을 정말 평생 가지고 갈 것 같다고 생각하기도 했습니다.

저는 학교 선생님 중에서도 특히 '초등학교 교사'가 되고 싶었습니다. '정말 되고 말 거야!'하는 다짐도 있었습니다. 그랬던 저였기에 유명하다고 하는 공주교육대학교에 부모님과 함께 가보기도 했습니다. 물론, 내부에 들어가 보지는 못했습니다. 그래도 그 장소에 가서 목표를 다시금 되새기게 되었고, 그러고 돌아오니까 뭐라도 될 수 있을 것만 같았습니다.

하지만 정말 굳건하던 저의 초등학교 교사라는 꿈은 얼마 가지 않아 접히게 되었습니다. 물론, 중간중간에 초등 교사의 꿈을 꾸면서 다른 꿈을 꾸기도 했습니다. 이 때문에 초등 교사라는 꿈을 소홀히 하기도 했었습니다. 갖고 있던 또 다른 꿈은 '의상 디자이너'였습니다. 당시 저는 재밌게 보던 애니메이션이 있었는데요. 그 애니메이션에서 다양한 드레스와 구두를 종류별로 보게 되었는데, 그게 너무 멋있었고, 그로 인해 의상 디자이너가 되고 싶어졌습니다. 그래서 그때 미니 책자로 코디 북을 만들기도 하고, 의상들의 그림을 그려두기도 했습니다. 그리고 제가 또 다른 꿈을 가진 것은 이때만이 아니었습니다. 초등학교 6학년 때에도 두 개의 꿈을 가지고 있었습니다. 바로 '제빵사'라는 꿈이었는데요. 당시 저는 토요 방과 후로 제빵을 배웠습니다. 빵을 만들고 쿠키를 굽고 여러 제과 식품들을 만드는 모든 것이 너무 재밌었고, 만들고 난 후 결과물을 보는 것이 뿌듯했습니다. 그래서 저는 제빵사가 되고 싶었지만, 이 직업에 대한 흥미역시 금방 사라지게 되었습니다. 그리고 결국 저는 '그냥 취미로 배우자!'라고 하는 생각을 가지게 되었습니다. 그렇게 저는 이 꿈도 접게 되었습니다. 여러 꿈들을 꾸던 저는 다시 초등 교사라는 꿈으로 돌아오게 되었습니다. 하지만 얼마 가지 않아서 이 꿈을 완전히 접게 되었습니다. 그 이유는 크게 두 가지가 있습니다. 첫 번째 이유는 심각한 저출산 문제로 학생 수가 줄어든다는 것이었습니다. 그리고 두번째 이유는 바로 성적이었습니다. 제가 초등학교 교사라는 꿈을 접게 된 시기는 정확히는 중학교 1학년 초반이었습니다. 중학교에 올라가서 첫 시험을 봤는데, 성적이 생각보다낮게 나오게 되었습니다. 초등 교사가 되기 위해서는 높은 성적이 필요하다고 알고 있었기에, 그때의 저는 저의 성적을 보고 사기가 꺾이게 되었습니다. 그러면서 흥미 또한 사라지게 되었고, 그렇게 꿈을 접게 되었습니다.

제 2화 현재의 꿈

저는 초등 교사라는 꿈을 접고, '건축가'라는 꿈을 갖게 되었습니다. 제가 이 꿈을 갖게 된 것은 어쩌면 당연한 것이었을지도 모른다는 생각이 듭니다. 저는 어렸을 때 건축에도 관심이 있었습니다. 나무 블록으로 탑 형태의 구조물을 만들기도 했고, 레고로 기존의 조립 설명서에 나와 있는 건물이 아닌 완전히 새로운 구조의 건축물을 만들기도 했습니다.

이렇게 건축에 관심이 있던 제가 직접적으로 건축과 관련된 꿈을 가지게 된 것은, 중학교 1학년 때 있었던 진로 체험 때문이었습니다. 당시 초등 교사라는 꿈을 접어 아무런 꿈이 없었던 저는 진로 체험을 통해 실제로 건축가님을 만날 수 있는 기회를 얻게 되었습니다.

그분을 실제로 만나 뵙고, 그분이 당시 총 감독을 맡고 계셨던 공사 현장부터 설계 방식 등 여러 가지를 인터뷰 형식으로 여쭤보면서 따야 하는 자격증의 종류도 듣게 되었습니다. 그리고 직접 설계하신 설계도면 또한 보게 되었습니다.

제가 직접 건축가를 만난 뒤 갖게 된 꿈은 '건축 디자이너'였습니다. 건축 분야의 직업을 갖고 싶었지만 당시의 저는 디자인 분야가 너무 좋았고, 그 때문에 건축 디자이너라는 직업을 선택하게 되었습니다. 디자인 분야가 좋아서 건축 디자이너라는 직업을 선택하게 되었지만, 이를 선택하고 나서 저는 꽤 오랫동안 진로에 대해서 다시 고민을 하게 되었습니다.

많은 사람들이 흔히 알고 있는 건축은 대부분 공학의 영역입니다. 물론 저도 그렇게 알고 있었고, 단지 공학 계열의 일부분으로 건축을 생각하고 있었습니다. 하지만 제가 아무리 디자인이 좋아서 건축 디자이너라는 직업을 선택했다고 해도, 저의 꿈의 기본 틀은 건축이었는데, 건축 디자이너라는 직업은 그 기본 틀과는 거리가 멀게 느껴졌고, 건축 디자이너라는 직업을 더 깊게 알아갈수록 제가 기존에 생각하고 있던 것과 많이 다르다고 느끼게 되었기 때문입니다.

제가 처음 건축분야를 꿈으로 삼았던 이유 중 하나가 공학적인 설계도를 보면서 느꼈던 두근거리는 감정 때문이었는데, 이 때문에 건축 디자이너라는 꿈을 떠올릴 때마다 '이게 맞나?'하는 생각도 하게 되었습니다. 그리고 '내가 계속 이 직업을 꿈꾸는 것이 정말 맞는 건가?', '내가 건축 디자이너라는 직업을 정말로 하고 싶다고 생각하고 있는 게 맞나?', '내가 하고 싶다고 생각하는 게 이 직업에 있나?'하는 질문들로 머릿속이 가득 차게 되었습니다. 그리고 저는 점점 더 혼란스러워지기 시작했습니다. 결국 중학교 1학년 때부터 이어져온 저의 건축 디자이너라는 꿈은 3년 정도 이어지다 접히게 되었습니다.

그렇다고 건축 자체를 향한 꿈이 접힌 것은 아니었습니다. 저는 건축 디자이너라는 꿈을 접고, 건축분야의 '건축가'라는 직업을 꿈으로 선택하게 되었습니다.

저는 건축가라는 직업을 꿈으로 삼고, 그에 대해 하나부터 열까지 다시 찾아보게 되었습니다. 특히 세계적인 건축가들을 찾아보았습니다. 그들은 자연과 어우러지는 형태의 건축물들로 사람들에게 편안함을 주었습니다. 저는 그런 모습을 보며 그들처럼 되고 싶었습니다.

제 3화 건축가라는 꿈의 구체화

　제게는 건축가라는 직업을 꿈으로 삼게 되면서 두 가지의 큰 목표가 생기게 되었습니다.

　첫 번째는 어려운 사람들에게 도움이 되는 건축가가 되는 것입니다. 사실 이 목표는 건축 디자이너가 되고 싶어 꿈꿀 당시에도 가지고 있었던 목표입니다. 제가 건축가가 되고 싶어 꿈을 꾸면서 이 목표가 더 확실하고 명확해지게 된 계기가 있습니다. 바로 2023년 02월 06일 튀르키예에서 일어난 지진 때문입니다. 이 지진으로 인해서 튀르키예 도심과 외곽 지역에 있던 많은 건물들이 붕괴되었습니다. 그 때문에 수많은 사상자가 나오게 되었고, 겨우 생존한 사람들도 몸을 피할 마땅한 장소가 없어서 생존을 위해 추위와 싸워야 했습니다. 이런 모습들을 보면서 '저 사람들에게 도움이 될 수 있는 공간이 있었다면 얼마나 좋았을까?'라는 생각을 하게 되었습니다. 그렇게 생각을 하고 있던 찰나에 국내에서도 잦은 지진이 발생했고, 더 이상은 우리나라도 지진에 있어서 마냥 안전하기만 한 지역이 아니라는 생각을 하게 되었습니다. 그래서 외국에 한정된 꿈이 아니라 국내에서도 도움을 주고 싶다는 생각을 하게 되었습니다. 그리고 이런 생각들은 '나중에 건축가가 되었을 때 어려움에 처한 사람들에게 도움을 주는 공간을 만들고 싶다.'라는 생각으로 번지게 되었습니다.

저의 첫 번째 목표인 어려운 사람들에게 도움이 되는 건축가가 되는 것과 관련해서 작은 목표가 하나 더 추가되었습니다. 바로 불법 건축물들이 없는 세상을 만드는 건축가가 되는 것입니다. 제가 이 목표를 가지게 된 이유는 두 가지가 있습니다. 먼저 2022년 국내에서 발생했던 압사사고입니다. 당시 좁은 골목으로 정말 많은 인파가 몰리게 되었고 그로 인해 압사사고가 발생하게 되었습니다. 당시 그 사고 현장에 불법으로 증축되어 있던 건축구조물로 인해서 그 피해는 더 증가되었습니다. 그리고 두 번째는 앞의 목표에서 언급했던 2023년 02월 06일 튀르키예에서 일어난 지진입니다. 이때 튀르키예에서 무너진 수많은 건물들은 불법으로 증축된 것들이 많았고, 그 건물들의 붕괴로 정말 상상할 수 없는 피해가 나타났습니다. 실제로 튀르키예에서 피해가 거의 없었던 지역은 불법 증축물을 철저하게 막았고, 애초에 추가 증축을 허락하지 않았습니다. 때문에 무슨 일이 있었냐는 듯이 정말 멀쩡한 모습을 보였습니다. 불법 증축 물로 인해서 피해가 급증해 수많은 소중한 목숨을 앗아갔다는 것입니다. 저는 이 두 사건을 보면서 정말 마음 아파했고, 정말 다시는 도래되지 않아야 할 일이라고 생각했습니다. 그래서 그 피해를 증가시켰던, 불법 증축 구조물과 건축물이 없는 세상을 만드는 건축가가 되고 싶다고 생각하게 되었습니다.

저의 두 번째 큰 목표는 한국인 최초로 프리츠커상을 받는 건축가가 되는 것입니다. 저는 세계적으로 유명한 건축가들을 찾아보며 그들의 공통점을 발견하게 되었습니다. 그건 바로 프리츠커상을 수상한 건축가들이었다는 것입니다. 저는 이를 통해 프리츠커상을 알게 되었습니다.

프리츠커상은 매년 건축 예술을 통해서 재능과 비전, 책임의 결합을 보여준, 그래서 인류와 건축 환경에 일관적이고 중요한 기여를 한 건축가에게 수여하는 상입니다. 물론, 이는 현존하는 건축가에 한해서입니다. 이 상은 특정 건축물이 아니라 건축가의 전체적인 건축 세계를 평가하고 수상자를 선정합니다. 이 과정이 노벨상의 수상자 선정 과정과 유사하고, 상의 권위도 국제적으로 인정받아서 '건축계의 노벨상'이라고 불리기도 합니다.

이웃나라인 일본만 보더라도 프리츠커상을 수상한 건축가들이 많이 있습니다. 2022년에는 부르키나파소의 '디에베도 프랑시스 케레'라는 건축가가 이 상을 수상했습니다. 저는 그렇게 해외의 프리츠커 상 수상자를 한참 찾아보던 와중, 한국인 프리츠커 상 수상자가 궁금해졌고, 그렇게 국내 수상자를 찾아보게 되었습니다. 하지만 국내 수상자는 없었습니다. 저는 이를 통해서 '내가 한국인 최초로 이상을 받고 싶다.'라고 생각하고, '한국인 최초로 프리츠커상을 받는 건축가가 되는 것'이라는 목표를 세우게 되었습니다. 물론, 최초로 받는 것이 쉽지 않을 것이라는 것을 알고 있습니다. 그래도 포기하지 않고 제가 할 수 있는 대로 끝까지 해보려고 합니다.

저의 큰 목표는 이렇게 두 가지입니다. 물론, 이 두 가지를 지금 당장에 이룰 수도 없고, 최종적으로 이 목표들을 이루기 위해서는 작은 목표들이 필요합니다. 저는 작은 목표들을 그 순간순간 세우고, 하나씩 이뤄나가면서 저의 큰 목표들에 한 발자국씩 다가가 보려고 합니다.

제 4화 건축가를 위한 계단

건축가가 되기 위해서는 반드시 거쳐야 하는 과정이 있습니다. 먼저 대학교는 5년제 건축학과를 거치는 것이 가장 바람직합니다. 하지만 5년제를 가지 않고 4년제를 다녔다고 해서 방법이 없는 것은 아닙니다. 다만 4년제를 다니면 대학원까지 가야 한다는 차이점이 있습니다. 많은 사람들이 건축학과와 건축공학과를 헷갈려 합니다. 그리고 이 두 학과가 같은 내용을 배우는 것이 아니냐고 생각하기도 합니다. 저도 처음에 이 학과들을 알아갈 때에 그랬었습니다. 물론, 건축학부로 묶어서 공통된 것을 배우기도 합니다. 하지만 이 둘은 엄연히 다른 학과입니다.

먼저 건축학과는 사람이 외부 환경으로부터 보호받고 사용 목적과 용도에 따라 건축물을 쉽고 편리하고 편안하게 이용할 수 있도록 건축물을 설계하고 만드는 방법에 대해 배우는 학과입니다.

건축공학과는 사람이 사용하는 다양한 용도의 건축물과 공간을 만들기 위해 필요한 공학적 분야, 사회적 분야들을 조합해서 배우는 학과입니다. 건축공학과는 건축학과보다 건축구조와 시공, 환경, 설비, 재료 등의 공학적인 내용을 더 배우게 됩니다.

대학에서 건축학과 5년제를 나오거나 4년제를 나온 뒤 대학원을 간다고 해서 바로 건축가가 되는 것은 아닙니다. '건축학과 나오면 바로 건축가 되는 거 아니야?'라는 생각을 가질 수도 있습니다. 건축학과를 나온 것이 건축가가 되는 데에 도움이 되지 않는다는 것은 아닙니다. 단지, 그것은 건축가가 되기 위한 과정 중의 일부일 뿐, 이후에 부가적인 자격증을 취득해야 합니다.

취득해야 하는 자격증의 종류로는 국가 기술 건축자격증, 건축기사 자격증, 건축산업기사 자격증, 전산응용건축제도 기능사 자격증 등이 있습니다.

다시 건축학과에 대한 얘기를 해보겠습니다. 대학에서 해당 학과를 진학하면, 졸업할 때에 졸업전시를 진행합니다.

이때 자신이 설계한 건축물을 작은 모형으로 만들어서 전시하는데, 대형 회사에서 이 졸업전시를 보고 인재를 스카우트하기도 합니다. 건축가로서의 기회를 얻을 수 있는 아주 유용한 기회라고 할 수 있습니다.

제 5화 본보기를 삼다

누구에게나 롤 모델은 한 명씩 있기 마련입니다. 물론 그 롤 모델이 삶의 전체적인 영역에서의 롤 모델일 수도 있고, 한 가지 영역에서의 롤 모델일 수도 있습니다. 제게는 하나의 영역에서 닮고 싶은 건축가분들이 계십니다.

먼저 일본인 건축가, 안도 다다오입니다. 이 분은 자연 친화적인 건축물들을 많이 만드셨습니다. 특히 저에게 인상 깊었던 건축물은 물의 교회입니다. 흔히 사람들이 알고 있는 형태의 건축물이 아니라, 자연 한가운데에 위치한 것처럼 보이는 외관과 내부에서 바라봤을 때에 물에 떠있는 듯한 십자가가 고정적인 틀에서 벗어나서 새로운 형태의 모습으로 설계하고, 지은 독특한 건축물이라고 생각하게 되었습니다. 제게 인상 깊었던 건축물은 이것 말고도 하나가 더 있는데, 바로 빛의 교회입니다. 이 교회도 마찬가지로 기본의 틀에서 벗어난 특이한 건축형태가 돋보입니다. 이 건축물은 전등을 이용해서 건물 내부를 환하게 밝히는 것이 아니라 건축물 자체에 있는, 교회의 특성을 담아 만든 창을 통해서 내부를 밝혔습니다. 이 부분이 저에게 정말 큰 충격으로 다가오게 되었고, 해당 건축물이 사용되는 용도와 그 기능을 너무 잘 표현한 것 같다는 생각을 하게 되었습니다.

저는 이런 건축물들을 보면서, '이 건축가분은 자연과 건축물이 조화되는 것을 굉장히 중요시하는 것 같다.'고 느끼게 되었습니다. 그리고 이 부분들이 저에게 큰 영향을 주게 되었고, 마냥 복잡한 형태가 아닌 깔끔하고, 주변 환경에 어우러지는 건축물을 만들고 싶다는 새로운 가치관을 정립하게 되었습니다.

해당 그림은 빛의 교회의 모습입니다.

해당 그림은 물의 교회의 모습입니다.

제가 다음으로 소개한 건축가는 세계적으로 정말 너무 유명한 안토니오 가우디입니다. 제가 건축가를 처음으로 접하게 되고, 알게 되고, 관심을 갖게 된 건 안토니오 가우디의 위인전을 읽으면서부터 시작되었습니다. 안토니오 가우디는 많은 사람들이 '건축'하면 떠올리는 가장 대표적인 건축가입니다.

그런 건축가, 안토니오 가우디의 대표적인 건축물은 구엘 공원과 라 사그라다 파밀리아 성당이 있습니다. 이 중 구엘 공원은 타일을 이용하여 꾸며졌다는 점이 굉장히 특이합니다. 이 공원에는 도마뱀 모양의 조형물도 있고, 물결 모양의 벤치도 있습니다. 또한, 나무의 모양을 띠고 있는 조형물도 함께 있습니다. 이 조형물들이 어우러져 대자연 속에 들어와 있는 것 같은 분위기를 자아내고 있는 것 같습니다. 구엘 공원과 함께 가우디의 대표작으로 불리는 라 사그라다 파밀리아 성당은 한창 공사가 진행되던 때에 가우디가 갑작스럽게 사망하게 되었고, 때문에 아직까지 완공되지 않은 상태로 계속해서 공사 중입니다. 가 사그라다 파밀리아 성당의 완공 목표 시점은 가우디의 사망 100주기인 2026년이라고 합니다. 그럼, 라 사그라다 파밀리아 성당이 오랜 시간이 흐른 지금까지 완공되지 못한 이유는 무엇일까요?

먼저는 현재 존재하는 수많은 건물들 이상으로 복잡해서 만들기 어렵기 때문입니다. 하지만 계속 지연되는 게 마냥 복잡하기만 해서는 아닙니다. 가우디가 사망하고 공사는 계속해서 지속되었지만, 이후 스페인 내전이 일어났고 그로 인해 건축이 중단되게 되었습니다. 그리고 1950년대가 되어서야 다시금 건축이 재개되었죠. 이외에도 남아있는 불완전한 설계도를 해석해서 건축한다는 것이 어려웠고, 성당의 완성도를 위해 더욱 꼼꼼히 진행해야 하는 부분과 상당히 적은 인원으로 공사를 진행하는 탓에 오래 걸리게 되었습니다.

하지만 라 사그라다 파밀리아 성당은 아직 완성되지 않았다는 점이 오히려 매력적인 요소가 되어 수많은 관광객들이 반드시 찾고 방문하는 명소가 되었습니다. 저는 안토니오 가우디의 독창적인 면모를 닮고 싶다는 생각을 하게 되었고, 흔하지 않은 저만의 건축양식을 만들고 싶다는 생각도 하게 되었습니다.

제가 소개한 두 명의 건축가를 통해 저는 새로운 자극을 받았고, 때문에 정말 멋진, 스스로 자부할 수 있는 그런 건축가가 되고 싶다는 다짐도 하게 되었습니다.

해당 그림은 구엘 공원의 모습입니다.

해당 그림은 라 사그리다 파밀리아 성당의 모습입니다.

CHAPTER 2

CHAPTER 2는 저의 삶에 대한 이야기를 다룬 부분으로, 총 4화로 나누어져 있습니다.
각 화는 'CHARACTER', 'HOBBY', 'HEALING', 'FUTURE' 이라는 제목으로 이루어져 있습니다.

제 1화 CHARACTER

요즘은 사람들이 성격유형검사, 이른바 MBTI 검사를 많이 합니다. 물론, 저도 이 검사를 해봤습니다. 저는 그동안 이 검사를 하면 ISFP가 나왔었습니다. 최근에는 INFP로 바뀌었지만요.

저는 이런 검사를 통해서도 성격을 표현할 수 있지만, 더 자세한 저의 성격과 특징들을 말로 나타내볼까 합니다.

앞에서 꿈을 소개하면서 얘기했듯이 저는 어려서부터 낯을 정말 많이 가렸습니다. 그리고 저는 다른 사람의 무례한 부탁도 거절할 줄 모르는 소심한 사람이었습니다.

낯을 많이 가리는 바람에 다른 사람이 저에게 먼저 다가와 주지 않으면 말을 걸 수 없었고, 때문에 혼자 있을 때가 많았습니다. 저와 가까운 사람들이 보면서 답답해할 때도 꽤 있었습니다. 이랬던 저에게, 학교생활을 하면서 누군가에게 먼저 다가가야 하는 일들이 점점 늘어나게 되었습니다. 저는 그때마다 정말 많은 근심을 가지고 다른 사람에게 다가가곤 했습니다. 정말 오만가지 생각을 다 했는데요. '저 애가 이상하게 보면 어쩌지?'부터 시작해서 '내가 이렇게 다가가는 걸 싫어할 거 같아..'까지 정말 많은 생각을 했습니다. 하지만 저의 걱정이 무색하게 이상하게 보거나 싫어하진 않더라고요.

저는 먼저 다가가는 것과 발표하는 것을 정말 어려워했는데, 학교에서 점점 훈련이 되다 보니 예전보다는 많이 나아지는 모습들을 스스로 보게 되었습니다. 점점 나아지고 있지만, 여전히 어려운 과제이기 때문에, 낙심하고 무너져서 '난 못해..'하고 생각하게 될 때도 있었습니다. 그래도 점점 나아지는 모습을 보면서, 언젠가는 두렵지 않게 해낼 수 있을 것이라는 희망이 생겨서 조금씩 앞으로 나아갈 수 있게 되는 것 같습니다.

저는 낯가림 외에도 다른 사람의 무례한 부탁도 다 들어주는 소심한 사람이었다고 앞에서 말을 했는데요. 제가 거절을 하지 못하다 보니 저에게 하던 무례한 부탁들은 점점 늘어났고, 결국에는 저의 사생활의 영역까지 침범해 저를 괴롭게 했습니다. 이런 상황들이 늘어나다 보니 저는 계속 이렇게 지내면 안 될 것 같다는 생각을 하게 되었습니다.

제가 부탁을 하나씩 거절하다 보니 그 부탁을 하던 사람들은 저에게 불쾌함을 대놓고 표출하기도 했습니다. 저는 그럴 때에 또 주눅이 들어서 의기소침해 있기도 했습니다. 하지만 그 이후 저는 계속해서 그런 부탁들을 거절했고, 더 이상 거절하는 것을 두려워하지 않고, 주눅 들지 않게 되었습니다. 이렇게 되고 제 안에 거절에 대한 내성이 생긴 것 같다고 생각하게 되었습니다.

이런 생각들과 함께 제 성격을 뒤돌아보았는데요. 과거에는 정말 많이 어려워했던 부분들이 상당 부분 극복되었다는 것을 보게 되었습니다.

제가 이렇게 많은 부분에서 극복하고, 이겨내고 있지만 간절하게 느껴지지만 들어줄 수 없는 부탁들을 거절하지 못하거나 부탁이라고 하기 엔 강요에 가까운 부탁들을 거절하지 못하는 등 아직 어려운 부분들도 분명 존재합니다. 그 부분에서 다가갈 때에는 정말 많이 긴장하고 두려워합니다. 그리고 정말 심장이 터질 듯이 떨리기도 합니다. 꾸준히 이겨내기 위해 노력하고는 있지만, 정말 이를 이겨낼 수 있을지에 대해서는 확신이 없습니다. 그래도 과거에 많은 부분들에서 이겨내고 극복해 온 것처럼 언젠가는 모두 이겨낼

수 있으리라는 희망을 가지고 앞으로의 시간을 살아가려고
합니다.

제 2화 HOBBY

　'여러분들의 취미는 어떤 것인가요?'라는 질문을 사람들에게 하면, 많은 사람들은 '취미..?'라고 의문을 갖고 곰곰이 생각할 때가 많습니다. 그럼, 다르게 '여러분들은 주로 어떤 걸 하면서 시간을 보내는 것을 좋아하시나요?'라고 질문하면 그때는 사람들이 바로 대답합니다. 그 대답들은 정말 다양한데요. 어떤 사람은 게임을 하면서 시간을 보내고, 또 다른 사람은 영화를 보면서 시간을 보내기도 합니다. 그리고 또 다른 사람은 전시회를 다니면서 시간을 보내기도 합니다. 이 외에도 쇼핑, 여행, 잠, 운동 등이 있습니다.

이와 같이 사람들은 정말 다양한 것을 하면서 시간을 보내는데요. 저 또한 여러 가지를 하면서 시간을 보내는 편입니다. 제가 시간을 보내는 것들을 소개해 보겠습니다.

저는 어렸을 때부터 음악과 미술 분야에 굉장히 관심이 많았습니다. 물론, 이 외에도 운동도 좋아하고, 여행을 다니는 것도 좋아합니다. 그래도 저에게는 이들보다 음악과 미술의 비중이 더 큽니다. 저에게 있어서 음악과 미술의 비중이 점점 더 커지면서 저의 취미생활도 이와 관련된 것들이 많아졌습니다.

저는 주로 음악을 듣고 그림을 그리면서 시간을 보내는 편인데요. 저는 음악을 들을 때 주로 아이돌의 노래를 듣습니다. 물론, 다른 피아노 연주곡이나 클래식을 듣기도 하고, 드라마나 영화의 OST도 듣습니다.

제가 아이돌 노래를 듣기 시작한 때는 초등학교 2학년 때입니다. 당시 저는 우연히 접하게 된 노래들에 사로잡히게 되었습니다. 그때는 한창 2세대 아이돌, 인피니트와 샤이니, 비스트, 동방신기, 카라, 소녀시대 등이 활동하던 시기였습니다. 2세대 아이돌 노래들은 강렬한 노래가 많은데 저는 그것에 빠져 한참을 헤어 나오지 못하게 되었었습니다. 그러던 와중 3세대와 3.5세대, 4세대 아이돌들이 나오게 되었습니다. 저는 자연스럽게 2세대에서 3세대로, 3.5세대로, 4세대로 넘어가게 되었고, 그들의 노래에 빠져서 듣게 되었습니다. 처음에는 강렬함에 빠져서 듣던 노래들을 점차 가사를 생각하면서 듣게 되었습니다.

과거의 저는 제가 좋아하는 가수의 노래를 주로 들었었습니다. 가사를 생각하면서 노래를 들을 때도 좋아하는 가수의 노래들 중 가사가 와닿는 노래들을 주로 들었었는데, 요즘은 달라졌습니다. 과거에서 벗어나 다양한 가수의 노래를 듣게 되었고, K-POP을 넘어서 POP까지 찾아 듣게 되었습니다. 그리고 최근에는 J-POP까지 찾아서 듣게 되었습니다.

저는 이렇게 노래들을 들으면서 어떤 때에는 가사와 멜로디에 위로를 받기도 하고 힘을 얻기도 합니다. 그리고 신나는 노래들로 스트레스를 풀기도 합니다. 단순히 노래를 듣는 것뿐인데 그것 자체가 저에게 힐링이 되고 힘이 됩니다. 그렇게 음악이라는 영역과 노래를 듣는 게 저의 취미가 되게 되었습니다.

저는 음악을 듣는 것 다음으로 그림을 그리면서 많은 시간을 보냅니다. 그림을 그리다 보면 저도 모르게 빠져들고 집중하게 됩니다. 그러다 보면 시간이 정말 빠르게 지나가곤 합니다.

저는 동물을 그릴 때도 있고, 사람을 그릴 때도 있습니다. 그리고 그냥 물체들을 그릴 때도 있습니다. 예전에는 정말 사진처럼 그림을 그리고 싶다는 생각도 많이 했었고, 그러기 위해 노력을 많이 했었습니다. 하지만 지금은 그렇지 않습니다. 지금은 사진과 똑같은 그림이 아니더라도 '나만의 그림을 그리자'라는 생각을 가지게 되었습니다.

이렇게만 들으면 '그림을 잘 그려서 그런 생각을 하고, 취미로 삼았나 보다.'하고 생각할 수도 있습니다. 하지만 저는 그림을 잘 그리진 못한다고 생각합니다. 그래서 제 그림을 다른 사람들에게 보여주는 것은 아직은 많이 부끄럽습니다. 그래도 제가 좋아서 그림을 그리면서 즐겁기 때문에 크게 신경 쓰고 있진 않습니다. 실력보다는 자신이 좋아하는 걸 하는 게 취미니까, 저는 그것만으로 되었다고 생각합니다.

또한, 제게는 사진을 찍는 취미도 있습니다. 하늘이나 달 사진을 찍는 것도 좋아하고, 풍경 사진을 찍는 것도 좋아합니다. 때문에 제게 그런 사진들도 상당히 많습니다. 물론 잘 찍는다고 생각하지 않아서 지금보다 더 나아진 실력을 갖고 싶습니다.

저는 현재 이런 취미들을 가지고 있습니다. 제가 가진 취미 외에도 취미로 삼고 싶은 것이 있습니다. 베이스 기타와 드럼이 그중 하나입니다. 베이스 기타와 드럼의 연주를 들으면 마음 깊숙한 곳에서부터 웅장해지는 기분을 느끼곤 합니다. 그 때문에 취미로 하고 싶습니다. 둘 다 독학으로는 한계가 있고, 때문에 따로 배워야 합니다. 제가 할 줄 모르는 것들이 많아서 새로운 취미를 만들기 위해서 배워야 하는 것도 많습니다. 당장은 상황이 안 되어서 못 하고 있는 것들도, 나중에는 배워서 꼭 취미로 삼아보고 싶습니다.

제 3화 HEALING

현대를 살아가는 많은 사람들은 삶에 지치곤 합니다. 주변 환경에 치여 지치기도 하고, 당장 처해있는 상황에 치여 지치기도 합니다. 이 과정에서 많은 사람들은 그것들에서 벗어나서 힐링하기를 원합니다.

사람들은 다양한 방향을 통해 힐링하곤 합니다. 잠을 자거나, 혼자만의 시간을 보내거나, 정 반대로 사람들과 시간을 보내기도 합니다. 저는 그중 혼자만의 시간을 보내면서 힐링하는 편입니다. 저는 앞에서 취미를 말하면서 얘기했던 음악을 통해 힐링하는 편인데요.

힐링을 할 때는 아이돌 노래보다 피아노 커버 곡이나, 연주곡 같은 잔잔한 음악을 듣는 편입니다. 그리고 영화의 OST나, 클래식을 듣기도 합니다. 물론, 힐링할 때 아이돌 노래를 아예 안 듣는 건 아닙니다. 아이돌 노래를 듣긴 듣는데, 주로 잔잔한 곡의 inst를 듣는 편입니다. inst는 노래에 가수의 보컬이 들어가지 않고 악기로만 연주된 반주를 뜻합니다. 가끔 inst를 듣다 보면 머릿속에서 가사가 자동으로 재생되기도 하는데 그때는 그것조차도 너무 좋습니다.

저는 이때 음악만 듣는 것은 아닙니다. 다른 것들을 하면서 음악을 틀어두고 그러면서 듣는데, 그렇게 듣다 보면 어느새 하던 것도 마무리가 되고 복잡하던 머릿속도 정리가 되곤 합니다.

이렇게 해도 가끔 답답함과 스트레스가 풀리지 않을 때가 있곤 합니다. 정말 너무 답답하고 머리까지 아파질 때가 있는데요. 이럴 때는 음악과 함께 또 다른 것을 합니다.

바로 컬러링북 색칠입니다. 어린아이들이 칠하는 색칠공부 놀이 책이 아닌 정말 섬세함을 요하는 컬러링북들을 칠하곤 합니다. 그 그림들을 칠하다 보면 자연스레 그것에 몰두하게 되고 집중하게 됩니다. 그러면서 답답함이 사라지고 머리도 점점 덜 아파집니다. 이는 복잡한 머리에 휴식을 주기 때문에 덜 아파지는 게 아닌가 싶습니다.

저는 이 그림들을 칠하면서 제가 칠해서 완성된 그림들의 결과를 상상하게 되는데요. 그러면서 점점 기분까지 좋아지게 됩니다.

저는 이렇게 하면서 지칠 때 힐링하는 편인데요. 현대에 지친 많은 사람들이 자신만의 힐링 요소를 찾아서 조금이라도 덜 힘들었으면 좋겠습니다.

제 4화 FUTURE

여러분들은 'FUTURE'라는 단어를 보면 어떤 것이 가장 먼저 떠오르시나요? 어떠한 물체나 현상을 떠올리는 사람도 있을 것이고, 분위기나 느낌을 떠올리는 사람도 있을 것입니다.

저는 이 단어를 보면 한 남자 아이돌의 노래가 제일 먼저 떠오릅니다. 'NCTDREAM'이라는 그룹의 'HELLO FUTURE' 이라는 곡입니다. 이 노래의 가사에는 '날개를 펼치고 또 꺾이고 다쳐도 누구보다 강한 너잖아'라는 부분이 있습니다. 저는 이 부분이 '아무리 넘어져도 너는 다시 일어나서 네가 목표한 곳까지 올라갈 거야. 그런 미래를 보게 될 거야.'라고 말해주는 것 같습니다. 그리고 그런 밝은 미래를 보게 될 것이라고 말해주는 것 같아서 그 미래에 인사를 하는 곡인 것 같다고 종종 느끼곤 합니다.

이 노래를 통해서 알아챈 사람도 있겠지만, 저는 밝은 미래를 원하고 꿈꿉니다. 제가 기대하는 미래는 밝은 미래, 행복한 미래입니다. 밝은 미래를 원하지만 그러기 위해서는 고난과 역경도 필요하고 아픔도 필요하기 마련입니다. 그래도 그런 상황 속에서도 비교적 덜 아프고, 덜 힘들었으면 하는 마음이 듭니다.

이런 제가 꿈꾸는 가까운 미래와 몇 십 년 뒤의 미래는 과연 어떤 모습일까요? 그 미래들에서 제가 하고 싶은 일들은 어떤 것이 있을까요?

먼저 제가 가까운 미래에 하고 싶은 일들과 할 일들을 소개해 보겠습니다. 제가 이 책을 쓰는 지금 이 시점의 저는 아직 고등학교 3학년 학생의 신분입니다. 때문에, 저는 수능을 봐야 합니다. 물론, 반드시 수능 성적이 필요해서가 아니라 경험 삼아 보려는 친구들도 꽤 있습니다. 하지만 저는 원하는 대학에 입학하기 위해 필요로 하는 점수가 있기에 성적도 꽤나 중요합니다. 지금은 수능으로부터 3개월 전이라 이것이 가장 가까운 시기에 하게 될 일이 아닐까 싶습니다.

저는 수능이 끝나고 정말 다양한 것들을 하고 싶은데요. 수능 끝나면 제일 먼저 하고 싶은 일은 운전면허 따기입니다. 저는 어렸을 때부터 성인이 되면 바로 운전면허를 취득하고 싶었는데요. 이제 법적으로 취득할 수 있는 나이가 되었기 때문에 수능 끝나고 시간이 많아지면 취득할 생각입니다.

두 번째로 하고 싶었던 일은 아르바이트입니다. 사실 아르바이트는 예전부터 해보고 싶었던 건데요. 저는 커피숍 아르바이트부터 다른 매장 아르바이트, 조교 아르바이트도 해보고 싶었습니다. 저는 중학생 때부터 커피숍이나 다른 매장에 가서 수능이 끝난, 학생들이 아르바이트를 하는 모습을 종종 보게 되었습니다. 그 모습들을 보면서 '나도 저렇게 해보고 싶다.'라는 생각을 했습니다. 이는 제가 정말 하고 싶은 일이 되었습니다. 물론, 아르바이트는 이전부터 할 수는 있었습니다. 하지만 학생으로서 공부를 해야 했고, 그렇게 집중하기 위해 아르바이트를 하지 않고 있었습니다. 그래서 시간이 완전히 비는 수능이 끝난 이후에 해보고 싶습니다.

세 번째는 염색입니다. 염색은 교칙에 금지되어 있어, 학교에 계속해서 등교해야 하므로 수능이 끝나도 당장에 할 수 있는 것은 아닙니다. 그래서 시간이 지난 뒤에, 하고 싶다는 생각이 듭니다.

또 네 번째로 하고 싶은 일은 여행입니다. 국내에서나 해외에서, 패키지나 단체 관광 여행 말고, 배낭여행으로 여유롭게 다녀보고 싶습니다. 그리고 제 꿈이 건축가가 되는 것이다 보니, 그 분야와 관련해서 여러 지역에 있는 다양한 건축물들도 찾아다녀 보고 싶습니다.

여기까지가 가까운 미래에 제가 해보고 싶은 일들입니다. 이제부터는 더 먼 미래에 제가 해보고 싶은 일들을 소개해 보겠습니다.

먼저, 저는 건축 사무소를 차리고 싶습니다. 사람들이 건축가면 대기업이나 공기업에 들어가서 안정적으로 일하고 그곳들을 직장으로 삼으라고 합니다. 저는 그 말이 싫은 것은 아닙니다. 그렇게 안정적인 직장을 잡고 일을 하고 싶기도 합니다. 하지만 그렇게 한다면 너무 국한된 디자인과 설계를 하게 될 것 같고, 제가 어렸을 때부터 꿈꿔왔던 것들을 이루지 못하게 될 것 같습니다. 그래서 저는 작은 건축 사무소에서부터 시작해서 저만의 건축 사무소를 만들고, 점점 그 크기도 키워 나가며 나중에는 저만의 색이 담긴 건축물들을 만들어내고 싶습니다.

그다음으로 제가 해보고 싶은 것은 후원입니다. 후원은 당장도 할 수 있는 것 아니냐고 묻는 사람도 있을 것입니다. 물론, 지금도 할 수는 있습니다. 하지만 제게 경제적인 여유도 없고 아직 학생이라는 신분 안에서 후원을 하기에는 제약이 꽤 많다고 생각합니다. 그래서 훗날에 경제적 여유가 생기고 제가 제약 없이 후원을 할 수 있는 상황이 찾아왔을 때, 그때에 해보고 싶습니다.

보통 후원은 국내와 해외 후원으로 나누어집니다. 저는 이 둘 모두에게 도움을 주되 해외에 좀 더 비중을 두어서 후원을 해보고 싶습니다. 제가 해외에 좀 더 비중을 두고 후원을 하고 싶은 이유는 국내의 상황보다 해외의 상황이 더 나쁘다고 생각하는데, 저의 작은 도움도 그곳에선 큰 도움이 될 것이라고 생각했기 때문입니다. 제가 후원을 할 때에 큰돈으로 후원하지 못하게 되더라도 그 사람들에게는 큰 도움이 될 것이기에 제게도 의무가 되는 것이 아니라 자율적으로 하는 것이 되고, 부담도 적을 것 같습니다.

그리고 제가 또 해보고 싶은 것은 앞에서 말한 건축사무소 차리기와 조금은 연관이 되는 것 같다고 생각이 드는데요. 제가 훗날 지을 건축물들이 국내에만 한정되는 것이 아니라 해외에까지 뻗어나갔으면 좋겠습니다. 각각의 나라마다 건축 양식도 다르고 주재료로 사용되는 것도 다르고 주변의 경관과 어우러지게 하는 것도 다른데 그 모든 조건에 맞춰서 건축물을 설계하는 일, 그 일을 해보고 싶다는 생각을 하게 되었습니다. 그리고 저는 특히 참사를 잊지 않고 기억하는, 기억할 수 있는 건축물을 만들고 싶습니다. 국내에서는 참사가 일어나고, 그것을 추모하기 위한 비를 세웁니다. 하지만 참사 현장과 멀리 떨어진 경우가 대부분입니다. 또한, 사람들의 눈에 잘 띄지 않는 곳에 위치해 있기도 합니다. 반면 미국의 경우 참사가 일어났던 그 위치에 추모하고 기억하기 위한 건축물을 세웁니다. 저는 미국의 경우처럼 잊지 않고 그 장소에 추모하고 기억하기 위한 건축물을 만드는 건축을 하고 싶습니다.

CHAPTER 3

저는 이번 CHAPTER에서 고등학교 생활에 관한
이야기를 좀 해보려고 합니다.
그리고 대학 입시를 준비하면서 느꼈던 것들과
수능까지 끝난 이후에 대학 발표를 기다리는
저의 심정들을 담아봤습니다.

제 1화 고등학생

    저는 어렸을 때부터 고등학교에 대한 드라마들을 많이 접해왔습니다. 저는 학교가 나오는 드라마들을 좋아하는 편인데요. 학교가 나오는 드라마 중에서는 초등학교, 중학교 보다 고등학교를 다룬 드라마가 압도적으로 많습니다. 그러다 보니 고등학교가 나오는 드라마를 꽤 많이 접하게 되었습니다.

    그리고 그것들을 보며 자연스럽게 고등학교에 대한 로망이 생기게 되었습니다. 저의 로망 중 가장 기대했던 부분은 바로 매점이었습니다. 하지만 저의 매점에 대한 로망은 실현되지 못했습니다.

저의 고등학교에 대한 로망은 왜 실현되지 못했을까요? 저의 로망이 실현되지 못한 이유를 포함한 저의 고등학교 생활을 지금부터 소개해 보도록 하겠습니다.

먼저, 고등학교 이전인 중학교 3학년 때부터 이야기를 시작해 보겠습니다. 당시 저는 어느 고등학교에 가야 할지에 대한 고민이 굉장히 많았습니다. 처음에는 저의 관심분야가 학과로 있는 특성화 고등학교에 가고자 하는 생각도 있었습니다. 특성화 고등학교에 가서 남들보다 일찍 제 진로와 관련된 내용을 배우고, 좀 더 빠르게 꿈에 도달하고 싶었습니다. 하지만, 이후 그렇게 특성화 고등학교에 가는 것보다 인문계 고등학교에 진학하는 것이 미래에 더 도움이 된다는 얘기를 들었고, 그렇게 저는 인문계 고등학교에 가고자 마음을 잡게 되었습니다. 또한 가고 싶은 고등학교들을 추리기 시작했습니다.

저는 공학을 가야 할지, 여고를 가야 할지에 대해서도 고민을 굉장히 많이 하게 되었습니다. 그리고 제 종교인 기독교를 중심으로 하는 학교인 미션스쿨도 생각을 하고, 고민하게 되었습니다.

저는 이런 고민들을 주변의 어른들과 고등학교에 진학 중인 아는 언니에게 얘기했습니다. 그리고 점차 제가 가고자 하는 고등학교를 정해가기 시작했습니다. 그렇게 결론적으로 1지망과 2지망에 공학인 학교를 적고 나머지는 여고로 적어 제출하게 되었습니다. 물론 이 중에 미션스쿨도 포함되어 있었습니다.

고등학교 발표가 난 뒤, 제가 1지망으로 적었던 남녀공학 고등학교에 입학하게 되었습니다. 저는 이 학교에 지원하면서 저의 로망을 다시금 떠올리게 되었는데요. 제가 가장 기대했던 부분인 매점에 대한 부분도 자연스레 떠올리게 되었습니다. 제가 합격한 학교에 매점이 있었기 때문입니다. 어떤 학교에는 매점이 없어서 근처 편의점에 다녀오기 위해 외출을 하는 경우도 있었습니다. 때문에 그렇지 않아도 된다는 사실이 다행이라고 여겨졌습니다. 하지만 이 기대는 학교에 입학하면서 무너지게 되었습니다.

정말 온갖 기대를 안고 고등학교에 입학했는데 학교에 매점 자리는 존재했지만 운영하지 않고 있지 않았습니다. 입학 당시 저는 정말 기대에 부풀어서 빨리 학교 구경을 하고 싶었고 제가 정말 궁금해하고 기대했던 매점을 빨리 보고 싶었습니다. 그래서 빠르게 학교 구경을 했는데, 매점이 운영되지 않고 있다는 사실을 알게 되었습니다. 그때 정말 세상이 무너진 것 마냥 절망스러웠습니다. 당시 들리는 바에 의하면 코로나로 인해서 매점이 운영을 하지 않고 있다는 것이었습니다. 저는 그걸 듣고 다시 한번 코로나가 원망스럽다고 느껴졌습니다. 그렇게 매점에 대한 로망이 사라졌는데 코로나가 계속되어 매점에 대해서는 체념한 채로 학교생활을 하게 됩니다.

저의 고등학교 로망 중 하나가 사라지고, 저는 드라마와는 또 다른 모습을 보게 됩니다. 흔히 드라마에서 보면 공학인 고등학교는 합반으로 비칩니다. 그런 모습을 보다가 고등학교에 입학했는데, 우리 학교는 성별에 따라 반이 나누어져 있었습니다. 물론, 합반에 대한 로망은 딱히 없었습니다. 로망이라기보단 '공학은 저렇구나!'하는 이미지가 있었는데 그것이 깨지는 계기가 되었습니다.

저는 고등학교에 입학하면서 저와 친했던 친구들과 떨어지게 되었습니다. 그래서 새롭게 친구를 사귀어야 하는 상황이었습니다. 반에는 얼굴을 아는 친구들이 좀 있었지만 정말 얼굴만 아는 사이일 뿐 친하진 않았습니다.

저는 새로운 친구를 사귀기 위해 다른 애들에게 다가가고 싶었지만, 워낙 내향형이고, 낯을 정말 많이 가리던 성격 탓에 다가가지 못하고 며칠을 보내야 했습니다. 당시 반에는 조금씩 무리가 잡혀가기 시작했고, 저는 '친한 친구 없이 고등학교 생활을 하게 되는 것은 아닐까'하는 걱정에 사로잡히게 되었습니다.

그러던 와중 정말 뜬금없이 친구를 만들게 되었습니다. 저는 아직 친한 친구를 만들지 못한 상황이었고, 며칠을 보내다가 쉬는 시간이 되었습니다. 사물함 앞에서 어느 친구와 눈이 마주치게 되었고, 저는 그 친구에게 손 인사를 했습니다. 그것을 계기로 그 친구와 말을 하게 되었고, 그 친구에게 인사를 한 이후로 그 친구를 포함해서 다른 친구들과도 같이 인사를 하게 되었고, 그렇게 친한 친구들이 생기게 되었습니다.

그렇게 친구들과 친해지고 조별 활동도 같이 하게 되었고, 급식도 같이 먹게 되었습니다. 정말 뜬금없는 인사로 친구들과 친해지게 된 게 아직까지도 정말 신기하고 생각하면 웃기기도 합니다.

이 친구들과는 1학년 때 이후로 모두가 같은 반이 된 적은 없습니다. 그래도 그 무리 안에서 조금 조금씩은 같은 반이 되기도 했습니다. 반은 달라졌어도, 쉬는 시간에 만나서 얘기하기도 하고 이동수업이 겹치면 함께 가기도 했습니다. 점심시간에는 같이 급식을 먹었고, 남는 점심시간 동안에는 얘기도 나누고 산책도 하고 여러 가지를 하면서 시간을 보내기도 했습니다. 저에게 있어서 이 친구들이 갖는 의미는 남다릅니다. 고등학생이 되고 처음 친해진 친구들이라 그런지 조금 더 소중한 친구들이라고 여겨집니다.

이 친구들과 친해진 게 저한테 용기로 다가왔던 것인지, 그 이후 친하지 않았던 친구들에게도 조금씩 다가갈 수 있었습니다. 또한 친구들과도 친하게 지내면서 속 얘기도 할 수 있는 사이가 되었습니다.

그렇게 새롭게 친구들과 친해진 1학년이 지나가고 2학년이 찾아오게 되었습니다. 2학년이 되고 저는 살짝 친했던 친구들과 같은 반이 되게 되었습니다.

저에게 2학년은 정말 다사다난한 학년이었습니다. 학년이 올라가면서 스스로 결정해야 했던 교과 선택부터 교과 선택으로 인한 이동수업, 차장을 맡았던 동아리까지 저에게는 이 모든 것이 큰 시도로 다가왔습니다.

저는 교과 선택을 할 때 물리, 화학, 지구과학을 선택했는데요. 모든 반이 다 이동하는 수업들이었던 탓에 모르는 애들과 같이 수업을 듣는 게 많았는데, 자리를 맡는 것부터 저에게는 큰 용기가 필요한 일이었습니다. 물론, 이건 지금도 용기가 필요하긴 합니다.

또, 저는 2학년 때 과학 동아리 차장을 맡아서 했는데요. 제가 과학을 잘하는 것은 아니었습니다. 그리고 평소 관심을 갖고 있던 주제가 아니었기에 제가 차장까지 맡게 될 줄을 몰랐었습니다. 저는 1학년 때도 마찬가지였고, 과학과 저는 거리가 멀다고 생각했었습니다. 그랬던 저이었기에 그 선택이 제 스스로도 당황스럽게 다가왔습니다. 처음에는 가볍게 얘기했던 동아리가 점점 무거워졌고, 형체가 갖춰지면서 친구는 부장, 저는 차장을 하게 되었습니다. 이후 저는 친구를 도와서 제가 할 수 있는 선에서 최선을 다해서 차장의 역할을 했습니다. 물론, 부족한 부분이 많아 도움이 많이 안 되었을 수도 있다고 생각이 되기도 합니다.

저는 교과 이외에 과학에 대한 지식은 거의 없는 편이였기에 '내가 차장을 맡는 게 맞는 건가?'하는 의문을 갖기도 했습니다. 그래서 저는 더 발로 뛰었습니다. 그리고 부스나 발표를 할 때에 피해를 끼치지 않기 위해 해당 내용에 대해 더 조사하고 공부했습니다. 또한 동아리 활동을 하면서 부족한 것이 없도록 필요한 것이 있으면 선생님께도 가고, 이리저리 뛰면서 도움이 되고자 노력했습니다.

저는 동아리 차장을 하면서 정말 많은 것을 알게 되었습니다. 제게 부족했던 생명과학의 유전자에 관한 지식과, 화학반응을 통해 결정이 생기는 것과 관련된 지식 등 과학에 대한 지식도 얻게 되었지만, 그것뿐만 아니라 협동심을 기르고, 다 함께 노력하고 원하는 결과를 얻는 성취감 등 삶에 대한 부분과, 눈에 보이지 않는 부분들에 대한 것들을 많이 알게 되었습니다.

저는 1학년 때는 수학 동아리를 했었는데요. 처음 수학 동아리를 선택한 이유는 정말 단순했습니다. 수학 동아리가 생활기록부를 잘 써준다는 말이 있었기 때문이었는데요. 그렇게 수학 동아리를 하면서 부장과 차장을 보면, 그렇게 바빠 보이지도 않았고, 하는 일도 간단해 보였습니다. 행사를 할 때만 조금 바빠 보였습니다. 적어도 저는 그렇게 느꼈었습니다. 그랬던 제가 동아리 차장을 맡아서 지내왔던 그 지난 1년은 정말 어떻게 지나갔는지도 모를 정도로 저에게 정신없는 1년이었습니다. 저는 이를 통해서 눈에 바빠 보이지 않고, 할 일이 없는 것 같아 보인다고 실제로도 그랬던 것은 아니라는 것을 알게 되었습니다. 물론, 같은 동아리가 아니라서 세부적인 것은 조금 다를 수 있지만 비슷했을 것이라고 생각합니다.

1학년 때 수학 동아리를 했던 것을 언급했으니 1학년 이야기 중 동아리와 관련된 이야기를 조금 소개해 보겠습니다.

제가 활동했던 수학 동아리에서는 진로와 수학을 엮어서 조별로 발표를 하기도 했었고 또는 수학 게임에 대해 조별로 발표하기도 했었습니다. 그리고 학년말 축제 때는 두 개의 부스를 진행했는데, 제가 했던 부스는 수학적 도형을 이용한 램프 만들기였습니다. 이 수학 동아리를 하면서 저는 생각보다 수학이 그렇게 지루하고 어려운 학문은 아닌 것 같다고 생각하게 되었습니다. 또한, 수학은 일상생활 곳곳에 녹아들어 있고, 그만큼 가까이에 있는 학문으로, 멀리에 두고 배우지 않는 것이 아니라 옆에 두어야 하는 학문이라고 생각하게 되었습니다.

앞서 얘기했던 것처럼 저에게 2학년은 꽤나 다사다난 했던 학년이었습니다. 교과 선택과 동아리뿐만 아니라 저의 정신적인 부분에서도 마찬가지이었는데요. 2학년이 되고 저희 반은 여자 반 중 유일하게 담임 선생님이 남자분이셨습니다. 처음에는 조금 거부적 반응이 들기도 했지만 점점 시간이 지나면서 재밌으시고 좋으신 분이라는 생각이 들어, 처음의 그 거부적 반응은 완전히 사라지게 되었습니다. 그리고 저는 그렇게 좋은 선생님을 만나 다행이라고 안도하고 있었습니다. 그러다 여름방학이 되었고, 방학을 보내고 개학을 하기 일주일 전, 담임 선생님의 개인적인 사정으로 인해 담임 선생님이 바뀌게 되었습니다. 바뀌신 담임 선생님께서는 한 달 뒤부터 저희 반을 맡으시는 거였고, 때문에 한 달 동안 다른 선생님께서 임시 담임 선생님을 맡아 주셨습니다.

선생님이 갑작스럽게 바뀌게 되고, 저는 굉장히 혼란한 시기를 보내게 되었습니다. 선생님들의 관리 방식이 조금씩은 모두 다르셨고, 그에 맞게 적응하는 것도 어려웠습니다. 무엇보다 대입에 반영되는 생기부에 대한 걱정들이 쌓여서 정말 머릿속이 복잡해지는 시기였습니다. 그렇게 여러 가지로 복잡하고 다사다난 하던 한 해인 2학년은 동시에 저에게는 정말 소중한 추억이 생기게 된 시기이기도 했습니다.

보통, 고등학교 2학년 때 수학여행을 갑니다. 과거에는 그랬었죠. 하지만 저희는 코로나로 인해 수학여행을 꿈도 꾸지 못했습니다. 또한, 코로나로 체육대회도 취소가 되었었죠.

2학년 때 잠시 코로나가 잠잠해지던 시기가 있습니다. 그 틈을 타 학교에서는 수학여행을 보내고자 했습니다. 때문에 가정통신문으로 학부모와 학생들에 조사를 하고 동의서를 받았습니다. 그렇게 '제주도로 수학여행을 갈 수 있는 것인가??'하는 생각을 한동안 하고 지냈습니다. 하지만 곧 코로나가 다시 심해졌고, 결국 그 수학여행은 무산되게 되었습니다.

이후 다시 코로나가 잠잠해졌지만, 수학여행은 이미 무산되었고, 이대로라면 아무것도 못하고 3학년이 될 것만 같았습니다. 그러다 학교에서 수학여행을 대신한 현장체험학습을 추진한다는 것을 듣게 되었습니다. 덕분에 아무것도 없었던 고등학교 생활 속에 한 번, 소중한 추억을 만들게 되었습니다.

저는 에버랜드에 가게 되었습니다. 비록 학교에서 가는 것이었지만, 친구들과 다 같이 가는 것이 처음이었고, 때문에 저는 정말 기대에 부풀어 있었습니다. 버스를 타고 친구들과 에버랜드에 도착했는데, 사람이 너무 많았습니다. 하필 현장체험학습을 온 학교가 많아, 온통 관광버스와 사람으로 가득했습니다. 밟혀 죽을 것 같다는 생각이 들기도 했지만, 기대감은 변함없었습니다.

에버랜드에 도착해서, 썬더폴스도 타고, 범퍼카도 타고, 허리케인도 타고, 다른 여러 가지 놀이 기구도 탔습니다.

그리고 학교에서 정해준 곳에서 점심도 먹었고, 여러 간식도 사 먹으면서 정말 재밌게 놀았습니다. 이로 인해서 정말 잊지 못할 추억을 만들게 된 것 같아서 저에겐 그 시간이 너무 소중하게 느껴집니다. 가끔, '만일 이조차도 없었다면 과연 나는 어땠을까..'하는 생각을 하기도 합니다. 고등학생이 되고 친구들과 학교가 아닌 다른 곳에서 색다른 경험을 하게 되어 특별했고, 살면서 잊지 못할 만큼 제게 의미 있는 시간이었습니다.

이렇게 11월, 에버랜드로의 소풍을 다녀온 후 시간이 빠르게 지나갔고, 그 시간들 사이에 저에게는 기말고사와 동아리에서 외부로 나가 발표를 하는 등 많은 일들도 스쳐 지나갔습니다. 그렇게 12월, 연말이 되었습니다.

연말이 되면서 학교 축제도 다가오고 있었습니다. 동시에 축제를 준비하기 위해 한창 바쁜 나날도 시작되었습니다. 축제 준비를 하면서 동아리 부스도 준비하게 되었습니다. 제가 했던 동아리에선 두 개의 프로그램을 준비했습니다. 은거울 실험을 통해 거울과 작은 거울 병 키 링을 만드는 프로그램과 화학반응과 온도 변화를 이용한 스노우볼 만들기 프로그램을 준비했습니다. 이 과정 속에서 저는 제가 잘 알지 못하고 있었던 은거울 실험과 화학반응과 온도 변화를 통해 결정이 뭉쳐지는 것들을 알게 되었고, 다 같이 하면서 협동심도 배우게 되었습니다.

축제 준비를 하면서 시간을 보내다 보니 어느새 당일이 되었습니다. 1교시에는 부스를 열기 위해 재료들을 준비해 두었고, 2교시부터 부스가 진행되었습니다. 저는 앞 타임을 맡아서 인원을 끊어가며 스노우볼 만들기 프로그램을 진행했습니다. 또한 부족한 재료들을 채워놓고, 준비했던 게 전부 보여질 수 있길 바라는 마음으로 참여했습니다. 그리고 뒷 타임 친구들과 교대한 후 여러 부스들을 돌아다녔습니다. 장난감 활을 이용한 과녁 맞히기도 하고, 음료를 만들어주는 부스에 가서 사서 마시기도 했습니다.

축제는 1학년 때에도 있었지만, 저에게 1학년 때 축제는 그렇게 재밌는 축제는 아니었습니다. 당시 하던 동아리에서 부스를 2곳에서 진행했고, 부스 운영이 가능한 시간 동안 풀타임으로 부스를 열고, 진행을 돕느라 다른 부스로는 가보지 못했습니다. 그리고 공연도 강당에 모여서 보지 못하고 각 반에서 TV로 봐야 했습니다.

저는 2학년이 되고, 축제를 준비하면서 1학년 때의 축제를 떠올리게 되었습니다. 풀타임으로 일하느라 아무것도 즐기지 못하고 고생하고, 풀타임으로 일하며 피로가 쌓여 TV로 봤던 공연들을 많이 보지 못하는 등의 이유로 저는 축제에 대한 기대가 없었습니다. 그렇게 축제 당일이 되었는데, 시간적으로 여유도 생기게 되었고, 직접 체험해 보진 않아도 돌아다니면서 보았던 다양한 컨셉의 부스들을 보는 것만으로도 꽤 재밌었습니다. 그중엔 귀신의 집 컨셉의 부스도 있었고, 코인노래방 컨셉의 부스도 있었습니다. 그리고 TV로 공연을 보는 것이 아니라 강당에 모여서 공연을 보면서 댄스팀의 공연도 보았고, 선생님들의 무대도 보게 되었습니다. 이렇게 1년 전과 많이 달라진 모습에 놀라기도 했습니다.

축제가 끝나고, 며칠 뒤, 겨울방학식을 했고, 저는 3학년이 되었습니다. 3학년이 된 저는 진학할 학교를 확고하게 정해야 했습니다. 저는 학과는 정해둔 상태였지만 학교들은 아직 정하지 못했던 상황이었습니다. 물론, 가고 싶은 학교들은 있었지만 '현실적으로 가능한가?'라는 고민들 때문에 망설이고 있었습니다. 그러다 선생님과 상담을 하게 되었고, 그 이후 작은 틀은 잡힌 느낌이었습니다. 그리고 저는 선생님과 계속 상담을 하면서 제가 가고 싶은 대학 좁혀 나가기 시작했습니다. 저는 선생님과 여러 차례 상담 후, 기존에 제가 정했던 방향의 학과들과 제가 가고자 하는 학교들을 거의 다 결정하게 되었습니다. 이렇게 결정을 하면서 '벌써 갈 대학을 결정하는 시기가 찾아왔구나,'라는 생각을 하게 되었고, 그런 나이가 되었다는 것이 신기했습니다.

3학년이 된 저에게는 대학 결정이라는 큰 고민도 있었고, 아직 정해지지 않은 미래에 대한 불안함도 있었습니다. 하지만 저에게 이런 것들만 있었던 것은 아닙니다. 정말 행복

하고 즐거웠던 것들도 많습니다. 그냥 별거 없이 학교에서 친구들과 지내면서 얘기하고 수다 떨던 것들부터 밖에서 만나서 마라탕도 먹고 노래방, 카페 등에도 가고, 영화도 보면서 놀았던 것 등등 사실 걱정과 고민, 불안함보다 이런 좋았던 것들이 더 많은 것 같습니다.

저는 3학년이 되면서 졸업사진을 찍게 되었는데, 처음 졸업사진을 찍었던 날, 학교에서 다른 학교로 견학을 가는 일정과 겹쳐서 찍지 못했습니다. 그래도 다행이었던 것은 그날 찍지 못했던 학생들은 다음에 학교에서 촬영할 때 찍으면 된다는 것이었습니다. 두 번째 졸업사진 촬영은 학교를 벗어나서 진행되었고, 춘추복을 입고 진행되었습니다. 졸업사진 촬영이니 오래 걸릴 것이라고 예상했던 것과 다르게 1시간? 1시간 30분쯤 지난 시점에 끝이 났습니다. 물론, 저희 반에 한해서요. 다른 반들이 끝나는 시간은 모두 달랐고, 저는 친구들과 다른 반 친구들을 기다렸습니다.

졸업사진 촬영이 끝나고, 친구들과 시내에 나가서 정말 재밌게 놀았습니다. 만화카페도 갔고, 카페에 가서 수다도 떨었습니다. 카페에서 친구들과 닮은 동물, 보면 떠오르는 동물을 서로 얘기해 주었는데요. 저를 보면 떠오르는, 닮은 동물은 바다표범이라고 하더라고요. 솔직히 처음에는 마음에 들지 않았습니다. 하지만 이후에 사진을 봤는데 차마 반박할 수가 없더라고요. 저도 보자마자 인정해버렸습니다.

특히 이 표정.. 제가 멍 때릴 때 표정 같더라고요..

이후 또 한 번의 졸업사진 촬영이 있었는데요. 졸업사진 촬영 중에서 제가 제일 기대했던 컨셉 사진 촬영이었습니다. 저는 학년 초부터 졸업사진을 찍을 때 입고 싶었던 의상이 있는데요. 바로 해리포터 컨셉의 의상이었습니다. 저는 네 가지의 기숙사 중에서 후플푸프의 기숙사 컨셉의 의상을 골라서 입었습니다. 어느 것을 입어야 할지 고민이 많았는데, 친구들에게 저의 이미지와 어울리는 기숙사를 물어보고 다녔고, 가장 많이 나온 후플푸프를 선택하게 되었습니다. 졸업사진을 찍기 위해 의상을 주문하고, 찍는 날을 기다리는 그 기간 동안이 졸업사진을 찍는 순간보다 더 떨렸던 것 같습니다.

졸업사진을 찍는 날이 되었고, 교복을 입고 찍었던 날 제가 서울을 가게 되어 찍지 못했기에 교복을 입고 먼저 찍게 되었습니다. 교복을 입은 사진을 먼저 찍고, 컨셉 의상을 입고 사진을 찍게 되었는데, 그 사이의 시간이 생각보다 부족해 당황하기도 했습니다. 제가 컨셉 의상을 입고, 친구들과 사진으로 추억을 남기기 위해 디지털카메라도 챙겼고, 그 카메라로 친구들을 찍어주기도 했습니다. 하지만 그날 그 카메라를 처음 사용하는 것이었고, 미숙했던 탓에 그 사진들을 날려버리게 되었습니다. 그 이후 다시 휴대폰 카메라로 사진을 찍기도 했습니다. 그때 정말 많이 당황스러웠고, 그 친구들에게 너무 미안했습니다. 그래도 화를 내지 않고 그냥 웃어넘겨줘서 너무 고마웠습니다.

졸업사진까지 찍고 나니 '고등학교도 이제 끝이구나.' 싶어지면서 좀 많이 아쉽게 느껴졌습니다. 졸업사진도 끝이 나고, 대입에 반영되는 시험도 끝이 났습니다. 그리고 저의 생활기록부 작성도 마무리 되어 갔습니다. 생활기록부를 채우기 위해 저는 열심히 발표를 하고 PPT와, 보고서, 영어 자막을 넣은 영상 등의 자료들을 만들었습니다. 그렇게 지내다 보니 어느새 여름방학이 찾아오고, 3학년 1학기가 마무리되었습니다.

대학 입시에 성적이 반영되던 고등학교 3학년 1학기가 끝이 났습니다. 과거, 선생님들과 주변 분들이 3학년은 진짜 빨리 지나간다고 하셨던 말씀이 생각이 났고, 어느덧 정말 대학 입시가 눈앞으로 다가오게 되었다는 것을 느끼게 되었습니다.

제게는 이제 어느 대학을 적을지 명확히 선택을 해야 하는 시기가 찾아왔고, 그 때문에 열심히 대학들을 찾아보게 되었습니다. 제가 찾아보았던 학교들을 선생님과 함께 상담하면서 조율해 나갔고, 저는 점점 더 명확하게 선택을 하게 되었습니다.

1학기 동안 대학 입시에 관련된 부분들에 신경을 쏟고, 내신을 신경 쓰고, 졸업사진도 찍다 보니 어느덧 여름 방학이 되었습니다. 여름 방학은 제가 생각했던 것보다 훨씬 빠르게 지나갔습니다. 4주 남짓했던 여름 방학이었지만, 제 체감으로는 2주도 안 된 것 같았습니다. 여름 방학에도 대학 상담을 했고, 2학기가 코앞으로 다가왔습니다.

여름 방학이 지나가고 2학기가 시작되었습니다. 1학기와 별다를 것 없을 것이라고 생각했던 2학기는 생각보다 많은 부분들이 달랐습니다. 대입에 반영되는 내신이 모두 끝난 후라 자습의 비중이 확 늘어났습니다. 또한, 중간고사와 기말고사를 보지 않고 수행평가로 대체하는 과목들도 늘어났습니다. 이렇다 보니 그전보다 더 자유로운 분위기가 형성되게 되었습니다.

2학기가 시작되고 이제는 정말 대학을 명확히 정해야 할 시기가 찾아왔습니다. 대학 원서 접수를 해야 했기 때문인데요. 저는 정말 많은 고민 끝에 가고 싶은 학교들을 추려서 원서 접수를 했습니다. 원서 접수하는 그 순간에도 정말 많은 생각을 했던 것 같습니다. 접수를 한 후, '혹시 잘못된 부분이 있을까'하는 생각으로 확인에 확인을 거듭했습니다. 접수 이후에 학교의 분위기는 또 한 번 바뀌게 되었습니다. 수능을 준비하며 공부를 하기도 했고, 면접을 준비하면서 대학교 홈페이지를 확인하고, 모의면접을 하기도 했습니다. 또한, 어떤 친구들은 여유롭게 놀면서 시간을 보내기도 했습니다. 저의 경우에는 수능과 면접 모두를 준비해야 했습니다. 그렇게 공부와 면접 준비로 시간을 보내면서 수능은 점점 다가왔고, 여러 대학들의 면접도 다가오고 있었습니다. 또한, 일찍 면접을 봤거나, 제출한 서류로만 합격자를 가리는 학교들은 결과를 일찍 발표하기 시작했습니다.

면접이 다가오고 합격 결과도 나오기 시작하면서 제게는 불안감이 찾아오기 시작했습니다. 주변 친구들의 합격 결과들을 들을 때면 제 안에 있던 불안감들은 점점 더 커져만 갔습니다. 제가 넣은 학교들은 아직 결과가 나오지 않았는데, 결과가 나온 친구들의 이야기를 들을 때마다 '혹시 다 떨어지면 어쩌지?'하는 불안감에 저는 집어삼켜지고 그 안에서 돌아다니게 되었습니다.

이런 불안한 상황 속에서 제 정신 건강은 점점 나빠져 갔습니다. 그리고 이로 인해 점점 우울감을 느끼는 날이 늘어갔습니다. 또한 때문에 집에서 홀로 우는 날도 점점 늘어만 갔습니다. 저는 이런 제 모습을 밖에서는 최대한 보이고 싶지 않았습니다. 때문에, 일부러 밝은 척을 하기도 했고, 덤

덤하게, 아무 걱정 없는 듯이 다니곤 했습니다.

이때 제가 느꼈던 긴장감과 떨림, 불안함 중 가장 컸던 것은 대학 입시에 대한 것들이라고 생각합니다. 정말 인생에서 가장 중요한 시기라고 생각했고, 이때가 아니면 결코 할 수 없는 것들이 많다고 생각했기 때문에 더 절실하고 더 떨렸던 것 같습니다.

하루하루 합격 발표를 기다리면서 마음을 졸이고, 속상해하고 불안해하고 걱정하며 지내던 와중, 1단계 합격 발표가 났습니다. 오후 자습을 하기 전에 정말 떨리는 마음으로 이름과 수험번호, 생년월일을 입력하고 '조회하기'를 눌렀습니다. 정말 너무 떨렸고, 그 때문에 바로 보지 못하고 손으로 한참을 가리고 있었습니다. 이후 손을 치워보니 ' 1단계 합격'이라는 문구가 보였습니다. 그때가 되어서야 저를 휘감고 있었던 긴장이 조금은 사라지게 되었습니다.

1단계 합격 이후, 이는 제게 동기부여가 되었고, 이전보다 공부와 면접 준비를 더 열심히 하게 되었습니다. 그리고 다소 무기력함으로 차있었던 제게는 의욕과 열정이 생기게 되었습니다. 그렇게 의욕과 열정을 가지고 공부를 하고, 면접 준비를 하다 보니 면접을 보는 날이 되었고, 수능은 일주일이 남은 상태가 되었습니다.

다행인지 불행인지 면접은 직접 가서 보는 것이 아니라 비대면으로 직접 찍은 영상을 보내는 것이었습니다. 비대면이었던 탓에 당일 밤 12시에 면접 질문들이 공개가 되었고, 그걸 바탕으로 모의 면접을 준비하게 되었습니다. 학교에서 모의면접을 하면서 제게 부족한 부분과 고쳐야 할 점들을 들었고, 질문에 대한 답들을 다시 쓰기 시작했습니다. 한참을 답을 다시 쓰고, 검토를 받고, 다시 쓰고, 검토를 받는 그 과정을 반복했습니다.

면접 영상 제출 가능 시각은 오후 8시까지였지만 저는 7시가 넘은 시각 영상 찍는 것을 마무리하고 그대로 제출을 했습니다. 제출 후 영상을 확인해보았는데 제 시선에서는 부족한 것들만 보였고, 때문에 그에 대한 확신도 들지 않았습니다. 확신은 없었지만 정말 열심히 준비했고 잘 될 것 같다는 생각도 있었기 때문에 크게 걱정이 되진 않았습니다.

면접이 끝나고 나니 정말 수능이 바로 앞으로 다가왔다는 것을 실감할 수 있었습니다. 정말 이때의 저는 착잡함, 불안함, 막막함, 우울함 등의 온갖 부정적인 감정들이 섞인 상태였습니다. 수능이 얼마 남지 않았다는 생각에 불안감을 떨칠 수 없었고, 동시에 부담감도 걷잡을 수 없이 커져 정말 미쳐버릴 것만 같았습니다.

수능이 일주일도 안 남은 시점에서 저는 제게 부족했던 부분들을 다시 보았고, 그것을 보완하기 위해 공부를 하고 또 공부를 했습니다. 그렇게 그 일주일은 눈 깜빡할 사이에 지나가 버렸습니다.

수능이 하루 앞으로 다가왔고, 그때가 되어서야 저는 진정할 수 있었습니다. 체념을 한 것 같기도 했고, 마음에 안정을 찾고 좋은 컨디션을 찾기 위한 것 같기도 했습니다.

제 2화 수능, 그리고 그 후

　수능 당일, 저는 처음 가본 학교에서 시험을 보았습니다. 아침에는 정말 떨렸고, 시간이 지날수록 그동안 제가 봐왔던 모의고사를 보는 것 같다는 생각을 하게 되었습니다.

　저는 수능을 보기 전에 제 작은 행동 하나하나가 전부 부정행위로 간주될까봐, 그렇게 모든 것이 무효 처리될까봐 정말 많은 걱정을 했었습니다. 그리고 수능 당일, 저는 그 걱정이 무색하게 아무런 일도 없이 무사히 시험을 전부 치를 수 있었습니다.

　수능이 끝나고 그 이후의 학교는 정말 많이 달라졌습니

다. 1학기가 끝나고 2학기가 시작하면서 세 부류로 나눠졌던 교실 속 분위기는 하나의 분위기가 되었습니다.

수능 이후 학교에 와서 잠을 자기도 하고, 게임을 하기도 하고, 책을 읽기도 했습니다. 물론, 저도 마찬가지였습니다. 저는 수능이 끝난 후 학교에 등교해서 게임도 하고, 책도 읽고, 잠도 자고, 보드게임도 했습니다.

이렇다 보니 '학교에 나오는 것이 의미가 있나?'하는 의구심이 들기도 했습니다. 그래도 학교에 나와서 친구들과 있으면서 시간을 보내는 것들이 제게는 정말 소중하게 여겨졌고, 졸업 후에는 하지 못할 추억들이라는 생각도 들었습니다.

수능이 끝나고, 대학 발표만을 기다리면서 학교에 나오고, 친구들과 시간을 보내는 이 기간이 지금 당장은 쓸모없다고 느껴질 수도 있고, 그냥 집에 보내줬으면 좋겠다고 느낄 수도 있습니다. 하지만 정말 다신 오지 않을 이 시기를 저는 잃고 싶지 않았고, 마음 놓고, 편히 지낼 수 있는 이 시기를 소중히 간직하고 싶다는 생각을 갖게 되었습니다.

CHAPTER 4

앞선 CHAPTER들에서는
저의 삶과 관련된 부분, 제 꿈과 관련된 내용을 얘기했고,
고등학교 3학년 2학기의 수능 전과 후의 이야기도 얘기해보았는데요,
이번 CHAPTER에서는 지금까지 살아오면서
제게 힘이 되었고, 인상 깊게 남은
노래들과 작품들에 대해 소개해 볼까 합니다.

제 1화 - 노 래

여러분들은 음악을, 노래를 듣는 것을 좋아하시나요? 저는 굉장히 좋아합니다. 사람들에게 음악은 다양한 의미를 갖습니다. 그게 좋은 의미일 수도 있고, 그렇지 못한 의미일 수도 있습니다. 제게 있어서 음악과 노래는 또 하나의 친구 같기도 하고, 일기장 같기도 합니다. 그리고 절대 잃어버리면 안 되는 소중한 보물 같기도 합니다.

저는 다양한 장르의 음악과 노래를 듣습니다. 발라드, 댄스, R&B, 힙합 등등 정말 다양한 장르의 노래를 듣고, 클래식과 국악 같은 음악도 듣습니다.

저는 이러한 음악을 들을 때면 친구와 수다를 떠는 것 같기도 합니다. 그리고 가사가 정말 공감되는 노래를 들을 때에는 일기장에 저만 아는 비밀들과 그 하루의 일기를 적어두는 것 같기도 합니다.

제가 음악을 들을 때에는 정말 과몰입을 많이 하는 편입니다. 그러다 보면 저만의 드라마들을 한편씩 뚝딱하고 만들어내기도 합니다.

음악과 노래는 제게, 그리고 여러 사람들에게 이런 식으로 다양한 의미를 가질 수가 있습니다. 이런 다양한 의미를 갖는 노래들 중에서 여러분들에게 가장 인상 깊고, 가장 기억에 남는 노래들은 무엇인가요?

많은 사람들은 기억에 남는 노래, 인상 깊었던 노래라고 하면 노래가 나왔던, 그 노래를 들었던 그 시기를 가장 많이 떠올릴 것 같습니다. 흔히 기억에 남는 노래는 그 당시에 유행했던 곡으로 그 당시를 기억하게 하는 곡들도 있을 테고, 그 노래 자체가 주는 의미가 깊어서 그 노래 자체로 기억하고 있는 곳들도 있을 것이라고 생각합니다.

제게 가장 많은 영향을 주고, 잊지 못하게 된 노래는 가장 먼저 윤미래 님의 '너의 얘길 들어줄게'입니다. 해당 노래는 '학교 2015 - 후아유'라는 드라마의 OST입니다. 이 OST는 드라마의 내용을 극대화하기 위해 그 내용에 맞춰서 만들어진 곡입니다.

'학교 2015 - 후아유'라는 해당 드라마는 고등학교에서 따돌림과 괴롭힘을 당하던 여학생의 이야기부터 시작이 됩니다.

저는 초등학교 5학년이던 2016년, '학교 2015 - 후아유'라는 드라마를 접하게 되었습니다. 우연히 보게 되었던 이 드라마는 제게, 그리고 제 인생에 정말 큰 영향을 주게 되었습니다.

저는 초등학교 5학년이던 당시 친구관계 때문에 한참 어려움을 겪고 있었습니다. 학교와 학원, 당시 제가 다니던 모든 곳에서의 친구관계는 어려웠고, 변할 것이라는 희망은 사라진지 오래였습니다. 때문에 저는 학교는 물론, 학원과 제가 다니던 곳들에 모두 가기 싫어하던 상태였습니다. 그렇게 혼자 어려움을 갖고 지내고 있었던 시기에 저는 이 드라마를 접하게 되었습니다. 타이밍이 절묘하게 맞아떨어졌고, 드라마 속 상황은 제 상황보다 심각했지만, 저는 친구관계의 어려움이라는 그 공통점으로 점점 이 드라마에 빠져들게 되었습니다. 당시 초등학교 5학년이던 제게 이 드라마 속에는 다소 충격적인 장면들도 있었습니다. 하지만 그런 장면들보다 제게 공감이 되는 장면들이 훨씬 많았습니다.

저는 드라마에 깊게 빠지게 되면서 해당 드라마의 OST 또한 자연스럽게 접하게 되었습니다. 그때 처음으로 들었던 노래가 바로 이 노래인, '너의 얘길 들어줄게'였습니다.

비록 이 노래를 접하게 된 것은 드라마 때문이었지만, 저는 드라마와 상관없이 이후 이 노래에 더 깊게 빠지게 되었습니다. 그리고 저는 이 노래에 더 깊게 빠지면서 가사를 곱씹게 되었습니다. 그러다 정말 많은 힘을 얻게 되었습니다.

이 노래의 가사 중에는 '말없이 널 안아줄게 너의 얘길 들어줄게 돌아봐 내가 있을게 니가 흘린 눈물 모두 닦아줄게 너의 외로움도'라는 가사가 있습니다. 제게는 특히 이 부분이 제일 크게 와닿았습니다. 당시 저는 제가 가지고 있었던 그 어려움들을 다른 사람들에게 쉽사리 말하지 못하고 있었던 상황이었습니다. 때문에 이 노래의 가사 중 특히 이 부분, '니가 흘린 눈물 모두 닦아줄게 너의 외로움도'라는 부분이 제일 와닿았습니다. 그렇게 위로도 받고, 많은 공감도 하게 되었습니다.

저는 이 노래를 들으면서 힘을 낼 수 있었고, 이 노래를 통해 정말 많은 위로도 받게 되었습니다. 제게 이 노래가 그런 위로를 주는 곡이었던 것처럼 위로와 공감이 필요한 사람들에게 위로가 되었으면 좋겠다는 마음으로 이 노래를 소개하게 되었습니다.

제가 두 번째로 소개해 드릴 노래는 정승제 선생님과 육중완 밴드가 함께 부른 노래인 '생선님의 편지'입니다.

저는 이 노래는 고등학생이 된 이후 첫 시험을 보고 나서 접하게 되었습니다. 당시 저는 생각대로 좀처럼 나오지 않았던 결과와 시험에 대한 스트레스들이 제 안에서 조금이나마 나아지길 바라면서 여러 수험생 플레이리스트를 듣고 있었습니다. 그렇게 여러 플레이리스트를 듣던 중 많은 노래들 중에서 유독 이 노래가 제게 인상 깊게 다가왔습니다.

처음에는 그저 선생님께서 부르셨다는 것이 신기했고, 수험생과 학생들을 위해 이런 곡을 만들어 주셨다는 것에 감사한 마음도 들었습니다. 이후에 저는 이 노래에 더 빠져들게 되었습니다. 그리고 한동안 이 노래만 들으면 살기도 했었습니다.

제가 이 노래에 더 깊게 빠지게 되었던 이유 중 하나는 역시 이 노래의 가사 때문입니다. 이 노래의 가사 중에는 '어른이 되어가는 이 길을 잘 견뎌 낼거야 잘하고 있어 누구나 겪는 과정일 뿐' '참 잘 해내고 있어 걱정도 많을 텐데'라는 가사가 있습니다. 이 부분의 가사가 제게는 정말 많이 와닿았습니다.

저는 고등학교 생활을 하면서 한동안 '지금 내가 하고 있는 이 과정들에 정말 끝이 있긴 한 걸까?'하는 의문을 가지고 있었습니다. 그때의 제게 이 노래는 마치 해답을 알려주는 것만 같았습니다. '이제 거의 다 왔어 그러니까 힘내.' '이제 정말 끝이 얼마 남지 않았어.'라고 제게 말해주는 것 같기도 했습니다. 저는 수능 전까지도 공부를 하다가 가끔 막히고 갑자기 막막해질 때마다 이 노래를 듣곤 했습니다.

　제가 공부를 하고, 수험생활을 하고, 학교생활을 하면서 이 노래를 통해 힘을 얻고 용기를 얻었던 것처럼 많은 수험생분들도 이 노래를 통해 위로와 용기 그리고 다시 일어설 수 있는 힘을 얻으셨으면 좋겠습니다.

제 2화 - 드라마

여러분들이 지금까지 봐왔던 드라마들 중에서 제일 인상 깊고, 가장 기억에 남는 드라마는 무엇인가요?

제게 있어서는 정말 잊을 수 없고, 자꾸 떠오르는 드라마들이 있습니다. 그중에는 정말 너무 강렬한 장면들로 인해 잊지 못하는 드라마도 있고, 내용이 제게 와닿고, 인상 깊어서 잊지 못하는 드라마도 있습니다. 제가 잊지 못하는 드라마들은 여러 개가 있지만 그중에 몇 가지만 여러분들께 소개해 보도록 하겠습니다.

제가 제일 먼저 소개할 드라마는 앞선 1화, 노래 부분에서 제게 인상 깊었던 노래를 소개하면서 언급했던 드라마, '학교 2015 - 후아유'입니다. 학교 시리즈 드라마는 총 8개가 있습니다. 저는 그중에서 해당 드라마를 제일 먼저 접하게 되었습니다. 제일 먼저 접했던 '학교 2015 - 후아유'가 제게 너무 큰 인상을 남기게 되었고, 저는 이 드라마를 정말 좋아했습니다. 때문에 그 이후에 나왔던 학교 시리즈의 드라마들도 기대를 하면서 보곤 했습니다. 다만 그 드라마처럼 다소 무거운 주제를 다룬 학교 시리즈는 나오지 않았습니다.

저는 외롭고 고독하고, 친구관계로 인한 고민들이 가득하던 시기 이 드라마를 보고, 정말 많이 울기도 했고, 또 웃기도 했습니다. 하나의 드라마를 통해 제게 있던 상처들까지 나아지는 것 같다는 생각을 하게 되었습니다. '드라마를 보면서 이런 감정을 느낄 수도 있는 거였구나' 하는 것을 느끼게 되었고, 그 드라마는 절대 잊지 못하는 드라마가 되었습니다.

제가 두 번째로 소개할 드라마는 '오월의 청춘'이라는 드라마입니다. 저는 어렸을 때부터 국내의 역사와 관련된 서적, 영화, 드라마 등을 좋아했습니다. 제가 소개할 '오월의 청춘'이라는 드라마도 이에 포함됩니다.

'오월의 청춘'은 광주 5.18 민주화 운동의 내용을 다룬 드라마입니다. 저는 한국사 중에서도 근현대사의 이야기를 좋아하는 편입니다. 때문에 그 시기와 관련된 내용의 드라마나 영화를 많이 찾아봤습니다. 그중 이 드라마는 그 당시의 이야기를 나타내면서도 현재의 모습을 보여주며 그때의 일들이 아직 해결되지 않았다는 것을 보여주는 것 같아서 제게 더 크게 와닿았습니다.

아직 해결되지 않은 것들이 아직 많은데 피해자분들의 연령은 점점 높아지고 있고, 이렇게 그대로 묻혀 버리는 것은 아닌지에 대한 걱정도 점점 늘어나게 되었습니다.

제가 이 드라마를 소개하는 이유는 많은 사람들이 역사 드라마, 영화, 뮤지컬, 책보다 현대와 관련된, 또는 미래와 관련된 그런 것들을 좋아해 많이 보지 않는다고 느꼈기 때문입니다. 저는 지금보다 더 많은 사람들이 실제로 있었던 역사의 사건들을 다룬 것들에 더 관심을 갖길 바랍니다.

나가는 말

제일 먼저 제가 이 책을 쓰게 된 계기부터 소개해 보겠습니다. 고등학교 3학년이 되고, 저는 새롭게 동아리를 해야 했습니다. 때문에 여러 동아리를 찾아보기도 했었고, '만들까?'하는 생각도 했었습니다. 그러던 중 출판 동아리를 알게 되었습니다. 해당 동아리의 담당 선생님은 저희 반 담임 선생님이셨고, 저는 더 이상 고민하지 않고 바로 이 동아리를 해야겠다고 생각을 했습니다.

동아리 첫 시간부터 어떤 책을 쓸 것인가에 대한 생각을 하게 되었습니다. 처음에는 정말 막막했습니다. 책에는 여러 장르가 있습니다. 소설과 시 같은 문학 작품들도 있고, 만화책도 있고, 에세이도 있습니다. 저는 이런 장르의 책들 중 어떠한 책을 만들까에 대한 고민이 많았습니다. 이 고민은 꽤 오랫동안 이어졌습니다. 그러다 문득 생각을 했습니다. '그냥 내 이야기를 있는 그대로 쓰면 되잖아?' 하고 말입니다. '내 이야기들을 있는 그대로 적은 책을 만들어 보자!'하는 생각을 하면서도 제 머릿속에서는 여전히 소설을 쓰고 싶다는 생각이 조금이나마 남아있기도 했습니다. 처음에 글을 책을 쓰면서 구상할 때까지도 저는 짧게나마 소설을 쓰고 싶다는 생각을 가지고 있었습니다. 하지만 점점 글을 써 내려가면서 괜히 소설을 쓰려고 시도하는 것보다 지금 쓰고 있는 글에 최선을 다해야겠다고 생각하게 되었습니다.

저는 이 책과 글을 써 내려가는 그 과정 속에서 저의 이야기를 자세히 적어나가기 위해 저에 대해 깊게 생각해 보게 되었습니다. 그 과정에서 잊고 있었던 제 모습도 떠올리게 되었고, 제 자신을 다시 돌아보는 계기가 되었습니다. 저는 그 계기를 통해 스스로에 대해 좀 더 깊게 생각하게 되었고, 힘든 상황에서도 '맞아, 이렇게 극복하고, 잘 해낸 사람이야'하고 그때의 저를 떠올리면서 조금이나마 이겨낼 수 있게 되었습니다.

제게 이런 책을 쓸 수 있는 기회가 생겼다는 게 너무 신기하고, 다신 오지 않을 기회 같아서 너무 소중한 것 같습니다. 그리고 제 이야기로 책을 만든다는 게 너무 특별하고 잊지 못할 추억이 될 것 같습니다. 지금까지 제 이야기를 들어주셔서 감사합니다.

부록

취미 부분에서 언급했던 제가 찍었던 사진들 중에서 구름이
나온 하늘과 달, 바다 사진들을 여러분들께 부록에서
보여드리도록 하겠습니다.

　　이런 나라서

　　이런 나라서

　　이런 나라서

이런 나라서